너와 나,

봄을 맞이하기 전

너와 나, 봄을 맞이하기 전

발 행 | 2023년 12월 19일
저 자 | 우도희
펴낸이 | 한건희
펴낸곳 | 주식회사 부크크
출판사등록 | 2014.07.15.(제2014-16호)
주 소 | 서울특별시 금천구 가산디지털1로 119 SK트윈타워 A동 305호
전 화 | 1670-8316
이메일 | info@bookk.co.kr

ISBN | 979-11-410-6088-6

www.bookk.co.kr

우도희 지음

너와 나 봄을 맞이하기 전

BOOKK

목차

이제 곧.. 봄을 맞이할 소중한 이들에게

누구나 살면서 인생의 겨울을 보내는 시기가 있다.
지구의 아픔으로 점점 길어지는 여름과 겨울,
그 덕분에 내가 좋아하는 계절. 가을은 상대적으로 짧아졌다.
각자가 좋아하는 계절이 있겠지만 사계절은 그와 무관하게
1년 주기를 반복해서 돌아오고,
우리의 인생 겨울도 한 번만 찾아오는 것은 아닐 것이다.

여러 번의 길고 짧은 겨울을 마주하는 동안,
고통스러웠지만 싫어한다고 해서 지나가는 것도 아니었다.
그래서 이미 찾아온 겨울, 비가 오면 우산 쓰듯이.. 춥지만
그 속에서 따뜻하게 보낼 수 있는 방법을 찾아보기로 하였다.

야속하게도 봄은 예고하고 찾아오지 않는 것 같다.
지나고 보니 겨울은 저만치 물러가 있었고,
어느덧 여름을 맞이하여 나도 모르는 사이 지나간 봄이었다.
그렇기에 나의 계절이 늘 겨울이지도 않을 것이며
나도 모르게 찾아오는 봄 분명 있을 테니,
힘든 시간을 견디고 이제 곧 봄을 맞이할 너와 나, 우리에게
이 책의 한 문장이라도 위안이 될 수 있기를 바라본다.

담아두기

마음을 표현한 순간
비눗방울처럼
흔적도 없이 사라질까 봐
속에만 담아 둘 때가 있다

나 혼자 간직하고 있는 마음
때론 그것이 좋을 때도 있다

이상한 나라의 앨리스

잠이 든 순간 알 수 없는 세계로 빠져드는 앨리스
독재자 붉은 여왕과 하얀 토끼가 사는
나라가 이상한 것일까?
몸이 커졌다 작아지는 앨리스가 이상한 것일까?

나를 둘러싼 세상이 이상할 때도 있지만
그 세상 속의 나 또한 이상한 사람일지도 모른다

이상한 것은 상이(相異) 함을
받아들이지 못하는 데에서 비롯되는 것

나름의 이유

원한다고 다 되는 것도 아니지만
원하지 않아도 되는 것들이 있다

내가 알 수 없는
그 나름의 이유, 뜻이 있겠지

친해지기 어려운 사람

제일 좋아하는 음식이 뭐예요?
제일 좋아하는 노래가 뭐예요?
질문에 답하기 어려운 순간이다

누구보다 친해지기 어려운 사람, 바로 '나'

자신을 사랑한다는 것

누군가와 함께 밥 먹을 때는 메뉴도 고르고,
맛있는 음식은 앞에 놓아주기도 한다

그러나 정작 혼자 밥 먹을 때는 간소화된 차림,
끼니를 때우기 위한 일처럼 여겨져
최소한의 시간만 할애한다

자신을 사랑한다면 부지런히 움직이고
가장 귀찮은 일을 해주어야 한다는 유명 배우의 말

스스로를 위한 마음이 말처럼 쉽지 않음을 느낀다

누구보다 내 자신을 사랑한다는 것
가장 어렵고 공들여야 하는 일인 것 같다

먼지 없는 휴지

털어서 먼지 안 나는 사람 없다고 한다
그런데 이왕이면 적게 났으면 좋겠다

먼지 없는 휴지도
막상 써보니... 먼지가 있다

마음의 용수철

어떤 어려움, 힘듦이 찾아와도
다시 한번 더 일어날 수 있는
마음의 용수철이 심어졌으면 좋겠다

탓하지 말자

모든 일은 나의 선택에 따른 결과이다
억울함에 누구를 탓하지도,
그렇다고 나를 탓하지도 말자

그저 선택에 따른 책임으로 묵묵히 나아갈 뿐

다 있다

이런 거 누가 살까? 저런 거 누가 좋아할까?
다 사는 사람 있고 좋아하는 사람 있다

내 취향이 아니라서 그렇지

인생이란 아이러니

사람을 구조하는 구급차에 부딪히고
그 구급차를 타고 병원 간 날
몸에 통증이 느껴짐에도
척추 미인이라는 소리를 들었다

인생 참 아이러니해

안경

안경 쓰기 전엔 분명 잘 생겼는데!
안경 쓰고 보니 아니네?

잘 보이는 게 꼭 좋은 것만은 아니구나

사람 사이

가까웠던 거리가 멀어졌음을 느꼈을 때
어렵사리 용기 내어 보는 것은
그 사람이 소중함과 동시에
관계에 대한 나의 미련을 남기고 싶지 않아서이다

누군가와 보이지 않는 거리에서
나는, 따뜻하면서도 차가운 듯하다

마음에 담다

오래도록 간직하고 싶은 순간
카메라를 들어 사진을 찍는다

그러다 가끔은,
그 순간의 좋은 느낌을 놓치고 싶지 않아
마음에 담기 위한 기억 사진을 찍는다

월급에 포함되어 있는 것들

이건 아니다 싶어도... 상사의 지시 따르기
당장 꼴 보기 싫은... 동료와 함께 일하기
업무 스트레스로 인한... 몸과 마음의 병 늘어나기
내 컨디션과 상관없는... 출, 퇴근 시간 따르기

이것들을 다 빼면 '0원'

고민하지 말고

앞머리 낼까 말까?
단발머리할까 말까?
고민일 때는 그냥 시도해 보기
머리카락은 또 기니까

왜 ?...... !

어른들은 대체 왜 싸우는 걸까?
이해되지 않았던 어린 시절
이제는 알 것 같다

어른에게도 싸울만한 이유가
서른마흔다섯 가지가 있다는 것

찾았다!

읽었던 책을 다시 보았을 때
미처 보지 못한 문장의
아름다움을 발견할 때가 있다

익숙함 속에서 찾아내지 못한 새로움
내가 아는 너도 그렇겠지

이제 그만

남을 미워하고 화나는 마음이 올라오면
몸으로도 아픈 증상이 나타나기 시작했다

더 이상 그 마음으로
자신을 힘들게 하지 말라는
신호등의 멈춤 표시일까

걱 정 의 무 게

어린아이들의 종종걸음
어른들의 터벅 걸음
근심, 걱정의 무게 차이는 아닐는지...

시작과 끝

시작이 시작이라고,
끝이 끝이라고 말하지 않았다
누군가가 이름을 붙여줬을 뿐,

우린 늘 시작과 끝을 알 수 없는 경계에 서 있다

살 수 없는 마음

용기 낸다는 것은 정말이지 쉽지 않다
필요할 때마다 용기의 힘으로 극복할 수 있다면
풀리지 않을 일도 없겠지

"용기" 어디에서도 살 수 없는 비싼 마음

걸어 다니는 생각

한 생각 한 생각이 사람이라면
내 속엔 수많은 사람이 살고 있다

쉬지 않고 걸어 다니는 생각 따라가다 보면
나조차도 내 마음을 모를 때가 많다

제발 한자리에 있어 주면 안 되겠니?

뷰티 인사이드

우리 몸속에는
하루에 약 100조 개의 세포가 새로 태어난다
역할을 다 한 세포가 죽은 자리에
새로운 세포가 탄생함으로써
자고 일어나면 어제와 또 다른 나

난 이런 사람이야
한 마디로 정의 내릴 수 없는 이유

색의 존재

날씨가 너무 좋아
다양한 빛깔들이 눈에 들어올 때
색이 없는 세상을 상상해 보았다
어두컴컴한 눈앞으로 펼쳐지는
고요함과 적막함,
동시에 느껴지는 심심함

이 세상에 같은 사람이 존재하지 않는다는 것
어찌 보면 참 다행이다

어린 새

어린 새가 날지 못한 것은
날개를 다쳐서가 아니라
다쳐서 날지 못한다는 두려움 때문이었다

어쩌면 그 고통은
스스로가 감내해야 하는 시간이었을지도 모른다

인고의 시간이 있었기에
나무 할아버지의 조언도
마음에 받아들일 수 있었던 것

고통과 친해지고 받아들이는 것이야말로
고통에서 벗어날 수 있는 방법이 아닐까

오 히 려

오히려 고민하지 않을 때 답을 찾은 적이 있다

물밑도 잔잔할 때 잘 보이는 것처럼,
생각이 복잡할 때는
어떤 선택이 나에게 도움 되는 쪽인지 알기 어렵다

숨어있는 씨앗

이제는 괜찮다고 해도
그때의 상처가 없어진 것은 아니다
단지 무뎌지고 또 다른 기억으로
있을 곳이 좁아졌을 뿐

불현듯 떠올라
눈덩이처럼 커질 수 있는 기억의 씨앗
따뜻하게 돌봐줘야 하는 마음이다

이겨내느라 장하고 고생 많았다고
누구보다 내 맘은 내가 가장 잘 아니
할 수 있는 일이다

내가 주고 싶은 것은

선물을 고르고 전하기까지 나의 몫이었다면
주고 난 후는 온전히 그 사람 몫이기에
준 기억이 사라지는 편이다

마음만 잘 전달되기를!

보이지 않아도

나그네가 외투를 벗은 건
따스한 햇살 때문이었다

누군가의 따스함이 그러했다
그 사람의 마음의 온도가 담긴
말들이 하나둘 스며들었고
나도 모르게 포근해졌다

말의 모습으로 마음이 온 것이었고
글의 모습으로 온기가 전해진 순간이었다

누구의 잘못도 아닌

돌에 걸려 넘어지는 상황에서
무엇을 탓할 수 있을까?
하필 그 자리에 있던 돌의 잘못일까?
돌을 보지 못해 넘어진 사람의 부주의 탓일까?

모든 건 양면의 모습을 가질 수밖에 없거늘
상대를 보기 전 나부터 객관적으로 바라보는 연습
머리로는 이해되지만 마음에서 쉽지 않다

착각

투명 망토를 쓴 누군가가
나의 손에 불행을 쥐여주고 갔다

나는 그것도 모른 채
원래 내 것이었던 것 마냥 꼭 쥐고 있다

또 다른 누군가가
네 것이 아니라고 소리치고 있음에도
나는 듣지 못하고, 들을 생각도 하지 않고
보물인 거 마냥 더 움켜 쥐었다

바로 보아야 한다
원래 내 것이 아니었던 불행
이제 그만 마음의 자유를 위해 놓아주어야 한다

가까운 해답

정작 머리 위
일어나서 손만 뻗으면
불을 켤 수 있음에도

어둡다고, 깜깜하다고
아무것도 하지 않은 채
시간만 보내고 있었던 것은 아닐까?

누군가가 켜주기를 기다리는 것보다
내가 일어나 불켜는 것이 훨씬 빠름에도...

생각보다 해답은 가까이 있을지도 몰라!

의미 없지만

다시 그때로 돌아갈 수 있다면?

지금의 기억을 가지고 돌아가고 싶다
그래야 똑같은 선택을 하지 않을 테니까

영업 종료

언제든지 찾아가면 될 줄 알았는데
영업 종료 소식을 마주한 순간
한 번 더 와보지 못한 후회가 밀려온다

사람도 내가 원할 때
언제든지 볼 수 있을 것 같지만
지금이 아니면 다시 못 볼지도 모른다
그러니, 지금 이 순간의 소중함을 놓치지 말자

나의 스투키에게

물, 햇빛, 바람
그 어떤 것도 살리지 못했다
그때 너에게 필요했던 것은
나의 마음이었을까..

너의 꿈이자 나의 꿈을 응원해

시간이 흘러
어린 꼬마는 어른이 되었지만
꼬깃꼬깃 주머니 속 넣어두었던
소중한 그림 쪽지가
꿈이 되어 펼쳐질 수 있기를
나는, 응원하고 싶었다

귀엽고 이미 어른스러웠던 너의 꿈은
동시에 잊고 있었던
나의 꿈이기도 하였다

나는
너의 꿈이자, 나의 꿈이
잠들지 않기를
세상 밖에 나올 수 있기를 응원하였다

우리의 계절

나와 비슷한 듯 다른 너와
겨울처럼 춥고 시린 기억을 나누는 사이
봄이 찾아왔다

겨울을 닮은 너, 봄을 닮은 나
메마른 줄 알았던 내 마음에
어색하면서도 익숙한 씨앗이
여름의 햇살로 훌쩍 자라났다

유난히 더웠던 우리의 여름은
봄 같기도, 겨울 같기도 하였지만
나를 잃지도, 너를 잃지도 않을 어딘가에
이제 곧 맞이할 것 같은
우리만의 계절이 기다린다

잔잔한 식사

특별하지 않은,
오히려 잔잔하면서도 평범한 식사

그 속에서 주고받는 이야기는
나의 이야기이기도
너의 이야기이기도

잔잔한 가운데
많이 먹지 않아도
마음이 불러지는 시간

겨울,
좋아하지 않지만 좋아하는 이유

포   -   근   한
    니   트   레
           차   설   는
           르   크   스
  괜   히   르 코   리   스   마
만   들   어   트
보   고   싶   은
    눈   사   람
          리   부
        머   터   는
         붕   먹
    까   어   빵
아   직   지
    한   살   더   먹   기   전
                 계   절

불이 켜지는 순간

퇴근길, 같은 곳 같은 시간에 켜지는 가로등

오늘 하루도 무사히 보냈구나
평범한 하루가 주는 위안의 인사

상상하지 못했던 일

친절한 점원의 직원 할인가로 구입한 신발
포기하려던 순간 티켓팅 성공한 콘서트
특별한 이유 없이 받은 감동 선물

우리가 기대하는
그 무언가의 거창함은 아니지만
나의 삶에서도
상상하지 못했던 일은 일어나고 있다

너는, 행복

마음처럼 따라주지 않는 상황에서
나는, 좀처럼 행복을 만날 수가 없었다

본 적도 없는 행복
언제 올지 모르는 행복
나는, 더 이상 기다리지 않기로 했다

가장 나다운 시간
편안해지는 시간을 보낼 때
나는, 그것을 행복이라 부르기로 하였다

말의 굴절

보이지 않는 물방울이 방해한 사이
빛의 굴절로 나타나는 무지개

나의 입에서 나간 말들이
내 마음과 다르게 굴절되어
너에게 전달되는 것은
무엇이 방해를 했기 때문일까

설명할수록 꺾여버리는 말들

그냥

말하기 부끄러울 때
생각이 복잡할 때
무엇이라고 말하기 힘들 때
구구절절 말하고 싶지 않을 때

"그냥" 이라는 말이 있어서 다행인 하루

혼자가 아니야

나와 비슷한 아픔을 가진 이를 만났을 때
존재만으로도 위로를 받는 느낌이었다

이런 일 나에게만 있었던 것이 아니었구나
그 사람도 여기까지 오느라 많이 힘들었겠구나

지금 혼자인 거 같다는 생각이 든다면
지구상 무수히 많은 사람 중
나처럼 힘들고 아파하는 이
어딘가에 또 있을지 모른다

우리가 그 시간을 잘 견디고 나왔을 때
고생 많았다고 서로를 토닥여 줄 수 있는 누군가가

밀고 당기기

인간관계에서의 밀당
하고 싶지 않고 할 줄도 모르고
필요한가 싶은 스킬이다

하지만 마냥 좋다고 다가가기만 한다면
부딪혀서 넘어질 수도 있다

나를 지키면서도
계산 없는 마음으로 너에게 다가가는 것
내가 하고 싶은 밀당이다

Here We Are

퇴근길, 힘이 나지 않던 하루
김필의 노래가 마음에 들어왔다
Here We Are, 도착했어! 다 왔어!
그럴 때 쓰는 말이지

희망을 주는 말인데 답답함이 느껴졌다
등산할 때 거의 다 왔어!라고 하지만
가도 가도 끝없는, 도착 전의 느낌이랄까
그와 동시에 여기까지 오는 것만으로도
쉽지 않았던 억울함이 밀려왔다

그래서 단어 그대로 해석해 버렸다
여기, 지금 이 시점에 있는 우리
지금에 몰입하는 것이
마음의 평화를 가져다주었다

짧지만 짧지 않은 내 인생에서
나는 늘 그래왔듯이 오늘만 산다
미래에 대한 계획이 없었던 것도 아니다

삶은 노력한다고 해서 되는 것도 아니었으며
나의 의지와 무관하게 흘러가는 상황에서
할 수 있는 것은 오늘 하루 잘 사는 것

오늘보다 내일은 나아지겠지
하지만 눈 뜨면 내일도 오늘이고
두 번째 오늘, 세 번째 오늘... 을 보내고서야
내일이 불확실하다는 것을 알았다

난 여전히
오늘만 살고 있지만
확실한 건, 후진이 아닌 전진 중이라는 것이다

♬ 어떤 해답도 그 무엇도 줄 수는 없지만
　 힘을 내자 서로를 바라보며
　 겁이 나지만 함께해 우리♬
　 - 김필, Here We Are 가사 중 -

가지고 싶지 않은 지우개

유명인이 치매일지도 모른다는 소식을 들었다
내 삶의 마지막 모습을 떠올렸을 때
가장 피하고 싶은 것, 치매

단어를 모르는 것도 아닌데
그 소식이 충격이었을까?
이번 주 정신없는 탓이었을까?
치매를 침해라고 말해버렸다

그 말을 쓰는 중에도 인지하지 못한,
뇌가 침해를 당한 순간

기억을 잃는다는 건 내가 사라지는 일이다

새삼... 괴롭고 힘들었던 일도
기억 속에 남아있다는 것이 다행이다

너도 고생이 많구나

한여름 강렬한 햇빛 사이로
느닷없이 소나기가 내렸다
너무 더운 나머지 해마저도 흘리는 땀줄기

우산 없어서 당황스러웠던 마음이
안쓰러움으로 바뀐 순간이었다

차라리

혼자 있어도 외롭고
같이 있어도 외롭다면

온전히 내 방식대로 외로울 수 있는
혼자가 나을지도 모르겠다

행복하시길 바랍니다

부디 행복하시길 바랍니다
행복이 넘쳐 늘 평화로운 마음에
누군가를 미워할 새도 없이

그로 인해 나도 평안해질 수 있도록

단골손님

환절기마다 오는 편도선염은
짧으면 일주일,
길게는 이주일 넘게도 머물다 갔다

막역한 사이라
인기척만으로도 알 수 있는 단골손님

좋아질 때까지 편히 쉬다 가라고
마음 한구석 내어 준 덕분인지,
몸은 아파도 기분까지 아프진 않았다

그런데, 언젠가부터 그 손님 만나기가 어렵다
쉬기 위해 찾아오더니 많이 좋아졌나 보다

누군가가 편해지고 좋아진다는 것은
나 또한 편해지고 좋아지는 건가 보다

깨지 않는 꿈

가끔은 벗어날 수 없는 현실이
꿈이었으면 좋겠다는 생각을 한다

너무 긴 꿈이었으나
눈 뜨면 다행이다 외마디와 함께
털고 일어날 수 있는 꿈

꿈이라고 생각하면 그럭저럭 또 견딜 만하다

똑 똑

네가 어디에 있는지 알지 못하면서도
그 어딘가로부터 꺼내주고 싶었다

지금 생각해 보니 그것은
내가 나오기 위한 두드림이었다

4(0)춘기

너무 일찍 철든 것이 아쉬워
나이가 들어갈수록 내려놓고 있는 듯하다

생각 없이 살고 싶은 사십 살 춘기

답이 아닐 수도 있다

가장 좋은 선택이라고 생각한 그 무언가보다
더 좋은 방법이 있을 수도 있다

적어도 나를 알아봐 주고 아껴주는
누군가의 조언은
다시 한번 생각해 보는 것도 나쁘지 않다

내 인생이 달라질 수도 있는
전환점이 될지도 모르니

마음의 운전대

네 마음 가는 대로 해

그랬다가 정말 돌이킬 수 없는
오점을 남길 수도 있다

내 마음의 운전대
초보운전자에게는 넘겨주지 말자

너만의 계절

언제가 마지막이었는지 기억도 나지 않는 낮술
통창으로 내리쬐는 햇볕,
대학시절을 함께 보낸 친구들,
함께 축하할 기분 좋은 소식으로
취하기 더없이 좋은 날이었다

인생에 정답은 없다
저녁에만 술을 먹어야 한다는 법도 없으며
어떤 일이든 정해진 시기가 있는 것도 아니다

나에게 가장 알맞은 타이밍
언제가 될지 몰라도 언젠가가 될
너에겐 너만의 계절이 있다는 것을
잊지 말았으면 좋겠다

나의 사람들

힘든 시간을 묵묵히 견뎌온 것은 나지만
돌아보면 나 혼자가 아니었다

분명 나에게 힘이 되어준
나의 사람들이 있었다

방패

잘 웃고 내가 밝을 수밖에 없었던 이유는
나의 뒤에 숨어있는 어둠이 새어나가
더 커지는 것을 막기 위함이었다

안녕히 주무세요

자고 있는 순간에도 떠나지 않는 걱정거리는
꼬리에 꼬리를 물고 불면증을 만들어 냈다
하루를 마무리하는 늦은 밤
편히 잘 수 있다는 것이 얼마나 감사한 일인지
겪어보지 않은 이는 모를 것이다

오늘도 쉬이 잠들지 못하는 이들에게..
부디 걱정 없이 잘 수 있는 날이 오기를
머지않아 그 날이 올 것이며
지금도, 그때도 자는 내내 평안하기를

안녕히 주무세요

쓸 수 없는 포인트

밥 먹을 때도 씻을 때도 일할 때도 잘 때도
뭐 그리 좋은 거라고 포인트 쌓듯이
내 속에 미운 사람 생각으로 가득 채웠을까

쓸 수도 없는 포인트
이제 더 이상 모으지 말아야겠다

지독한 겨울

믿었던 이들이
나의 등 뒤에 있었다는 사실을 알게 된 순간
나는 설자리를 잃고 말았다

매 순간 함께였지만 나는 혼자였고
싫음과 무관심, 방관을 온몸으로
받아내야 하는 1분 1초가 산지옥 같았다

당장이라도 박차고 나가고 싶은 마음을
누르고 또 누르며
해야 할 일에만 집중하기 위해
안간힘을 썼던 것을...
나만 안다

그럼에도 불구하고
지나갈 것 같지 않던, 그 시간을 지나왔다

생각지도 못한 사람들과의 인연
나의 삶에도 새로운 변화가 찾아왔다

아주 지독한,
다시는 만나고 싶지 않은 겨울이었다

마지막 배려

알면서도
먼저 말할 수 있는 기회를 준 것이었는데
나의 입에서
나오게끔 만드는 너의 모습이 불쌍해서
결국 마지막 말을 전해버렸다

후회

해도 후회, 안 해도 후회라면
하고 후회하는 게 낫다고들 한다
하지만 안 했을 때 후회의 무게가 더 적다면
안 하는게 당연하지 않을까?

그런데... 그 무게를 어떻게 재야할지 모르겠다

틈새

내가 보고 싶은 것은
노랗게 물든 단풍이었는데
틈 사이로 비집고 들어온 빛
시야를 가려버린다

보고 싶은 것만 볼 수 없는
청개구리 같은 세상

닳지 않는 건전지

사는 게 참 쉽지 않다
똑같이 주어진 24시간인데
내 시계엔 쉴 틈도 주어지지 않는
에너자이저 건전지를 넣었나 보다

이걸 고맙다고 해야 할지...

얼룩

눈에 보이는 옷의 얼룩보다
지우기 힘든 마음의 얼룩을 볼 수 있는
나는, 그런 사람이 되고 싶다

그러는 너는

꼭 말로 해야 아냐고 묻는다

그러는 너는
내가 말하지 않으면
나의 마음 다 알 수 있냐고 묻고 싶다

사람이 명품이어야 한다?

사람이 명품이어야 한다는 말도
어찌 보면 자기합리화가 아닌가 생각되었다

성품의 좋고 나쁨을
어떤 기준으로 이야기할 수 있을까?
명품인 사람과 아닌 사람은
누가 따질 수 있는 것인지...?

좋은 말이라고 공감하던 문장에서
물음표가 생겨버렸다

표현의 가치

정작 표현해야 할 마음은 보여주지 못하고
혹여나 상처받을까 하는 두려움에
생각지도 못한 말과 행동을 하던 나였다

나의 자존심은 지켰을지 모르겠지만
너와의 거리는 한걸음 더 멀어졌다

나는 더 이상 숨지 않기로 하였다
설령 내가 상처받을지라도
주고 싶은 마음 그대로 표현하는
연습을 해보기로 마음먹었다

마음 세제

사용한 그릇
깨끗하게 씻을 수 있는 세제는
여기저기 널렸는데

찝찝한 마음
뽀독뽀독 씻을 수 있는 세제는
어디에도 없다

시원한 마음 세제
누가 좀 만들어 줬으면...

망각의 부작용

잊고 싶은 것을 잊을 수 있다는 것
안타깝게도 신은 나에게 허락하지 않았다
잊고 싶은 것은 선명해지고
잊기 싫은 것은 희미해졌다

기억나지 않았으면 하는
나의 바람이 닿은 건지
이제는 모든 순간이 금새 날아가 버린다

찰나의 순간에
좋은 기억도, 나쁜 기억도
마치 단기기억 상실증에 걸린 것처럼
사라져 버린다

잊고 싶다고 잊어지는 것도 아닌데
내 욕심에서 비롯된 부작용인가 보다

지금의 나라서

조금 더 일찍 만났더라면 우리는 어땠을까?
그랬다면 실망했을지도 모른다

설익은 과일이 익어가는 것처럼
나는 아직도 사람이 되어가는 중이기에

지금의 나를 만나서
다행이라고 생각되는 늦은 여름밤

감정의 사치

나의 삶은 고단하여
마음의 자유를 누릴 수 없었다

마음을 드러내는 순간
더 이상 버티지 못하고
무너져 내릴까 봐
그럴수록 덤덤함으로 무장하였다

그때 나에게
감정을 표현하는 것은
여유 있는 자들이 누릴 수 있는
사치와도 같았다

사실은

너에게 맞지 않는 나라고 생각하겠지만
사실은 내가 맞춰주고 있었다는 걸

너의 마음에서 정리한다고 생각하겠지만
사실은 내가 마음을 주고 있지 않았다는 걸

주인공

스투키가 사라진 자리에
홀리페페가 이사 왔다

모습만 달라졌을 뿐
생명이 있던 자리
생명으로 채워지니

화분의 진짜 주인공은
스투키, 홀리페페도 아닌
파릇파릇 생기인가 보다

식물이 살고 있는 화분처럼
우리의 모습도 그렇지 않을까?

살아 숨 쉬는 생기야말로
진짜 주인공인 듯하다

결과를 떠나

간절히 이루어지길 바라는 일 앞에서는
누구나 긴장되기 마련이다

그럴 때는
인생 새옹지마,
길고 짧은 것은 끝까지 가봐야 아는 것이니

이루어지든,
이루어지지 않든,
멀리 봤을 때 나에게 가장 도움 되는 쪽으로
결과가 주어지기를 바라본다

깊은 어둠일수록

불꽃의 화려함은
깊고 깜깜한 밤에 더 빛을 발한다

나의 어두운 시간은
앞으로 찾아올 행복을 위한
전야제의 밤

그렇다고 해도...
너무 길진 않았으면 좋겠다

벗어나고 싶지만

모든 것으로부터 벗어나고 싶은 순간이 있다
살다 보면 한두 번이 아닐 것이다
그럼에도 우린
벗어나는 방법을 찾기 어려워
여전히 똑같은 일상을 살아간다

그래서 찾을 때까지
함께 나아갈 수 있는 무언가가 필요하다

애석한 것은 그 무언가를 찾기도 쉽지 않다는 것

별거 아니네

때아닌 천둥 번개 소리로 놀라던 순간,
창문을 닫고 나니
무서움은 온데간데없이 사라지고
조용함 속에 밝은 불빛만 보인다

나에 대한 많은 소리가 들릴 때
귀를 닫고 멀찍이 서서 바라보자
천둥 번개같이 요란스러워 보여도
막상 별거 아닐 수도 있다

끝없는 숙제

하고 싶은 일 다 하고 살 수 없지만
하고 싶은 일 한 가지도 하면서 살기 어렵다

힘들고 하고 싶지 않은 일
하나씩 해결해 나가는 것이 인생의 숙제일까

비와 함께

타닥타닥
초가 타는 듯한 빗소리가 창문을 두드린다

마음이 차분해지고 소리에 집중하는 사이
줄지어 나오는 상념들

어디 숨어있다 나오는지조차도 모를
낡은 기억과 마음의 짐이
빗소리와 함께 씻겨 내려가면 좋겠다

대양

망망대해에서
나는 어디로 가고 있는지
어디로 가야 하는지 모르겠다

낮에는 뜨거운 햇빛을
밤에는 시린 달빛을
견뎌내고 있을 뿐

이따금 잔잔한 물결과
반짝이는 별들과
친구가 되어주는 새도 있지만

여전히 나는
대양의 넓고 깊은
어디인지 모를 곳에서 헤매고 있다

-Chopin Etude "Ocean"을 듣던 어느 날-

콜라는 콜라

콜라를 사이다라고 우긴다고 해서
콜라가 사이다가 되는 것은 아니다

살다 보면 아니 땐 굴뚝에 연기가 날 때도 있으며
피지도 않은 연기로 인해
우리는 상처받고 그 상처를 꿰매기 위해 노력한다

내가 꿰맬 수 없는 상처는
누군가가 매어주기도 하며
우리는 그 따뜻함으로
다시 힘을 내어보기도 한다

콜라는 콜라
사이다라고 우기는 자들의 생각으로
나의 행복마저 그들에게 쥐여주는
어리석은 착함은 베풀지 말아야겠다

치유되지 않는 여행

잠시라도
힐링(healing)이 될까 싶어
여행을 떠났다

그 순간만큼은
지쳐있는 몸과 마음이
자유로워질 줄 알았는데

그곳에서도
쉴 수 없는 마음과
머릿속에 넘치는 근심으로
킬링(killing)이 되어버렸다

몸이 아닌 마음의
여행이 필요한 순간

절망을 알게 되었을 때

절망이라는 감정이 무엇인지 알게 되었을 때
지친 몸으로 잠을 청하기 위해 눕는
그 짧은 시간만이 가장 평화로웠다

눈을 감는 순간
또다시 반복될 내일 생각에
자고 싶으나 자고 싶지 않았고
아침이 오는 것을
미룰 수 있는 만큼 미루고 싶었다

쉼표

키보드 온점(.) 앞에는
쉼표(,)가 있다

고통을 마주하는 순간
온점(.)이 아닌
쉼표(,)도 있다는 것을...

여기까지 버티고
오랜 시간 견뎌온 것은
쉼표를 만나기 위함이었던 것 같다

속도

각자만의 속도가 있다

종착지는 같을지라도
가던 중 옆길로 새는 사람도 있으며
가야할 곳만 바라보며 직진하는 사람도 있다

누구의 속도가 알맞다고 정할 순 없을 것이다
하지만 함께하는 세상에서는
나만의 속도만을 고집하기보다
불편하더라도 조금씩 맞춰 가보는 것

느린 사람은 한걸음 더 나아가보고
빠른 사람은 기다려줄 수 있는 것

사람 인자가 뜻하는 의미가 아닐까

돌아갈 수 없는 시간

누군가와의 좋았던 기억을 떠올렸을 때
그 사람과 함께여서 좋았던 것인지
그때의 내 모습이 그리운 것인지
알 수 없을 때가 있다

어쩌면 모든 것이 맞아떨어져
좋을 수밖에 없었던 순간

우린 늘 다시 돌아갈 수 없는
시간 속에 살고 있다

진짜 나의 모습

무엇이 진짜 나의 모습인지, 사실 잘 모르겠다

분명한 건 나만 알고 있는 모습이 있고
특별한 이유 없이 보여주고 싶은 사람
그것을 자연스레 받아들여 주는 사람 또한
있다는 것이다

설명할 수 없는 것들

설명할 수 없는 일,
설명할 수 없는 마음이 일어날 때가 있다
그것의 출발점이 무엇일까? 한참을 생각해 보지만
설명할 수 없는 것이니 답이 나올 리가 없다

생각 미로에서 한참을 허우적거리며
혼란스러움을 안고 나오길 반복했지만,
이제는 뚜렷하지 않는 것들에 대해
부정하지 않기로 하였다

출발점도 도착점도 없기에
애써 이유를 찾지도,
생각을 끊기 위해 노력하지도,
나 또한 왜 그런가에 대한
설명을 하지 않기로 하였다

설명할 수 없는 것은 원래 그런 것이니

너와 나, 봄을 맞이하기 전

겨울은 춥고도 따뜻한 계절이다
찬바람에 몸이 움츠러지고
생각 회로가 정지되는 듯하다,
핫팩의 따뜻함을 마주한 순간
견딜 수 있을 것 같은 느낌이다

나의 계절이 늘 봄일 수만은 없을 터
겨울이 찾아와도 두려워하지 말자
이 시기를 잘 보낼 수 있는
나만의 핫팩, 분명 있을 테니

'사유'하는 사람이 되고 싶은 병아리 작가

p. 84 망각의 부작용, 첫 번째 습작이자 이 책의 출발점이 된 글. 책을 좋아했기에 나만의 서재를 가지고 싶었고, 서점 주인을 동경했었다. 그랬던 내가, 책을 곁에 두고 글을 쓸 수 있는 마음을 다시 찾기까지는 꽤 오랜 시간이 걸렸다.

나이가 들면서 생각의 가짓수는 많아졌지만, 아름다운 생각은 그리 많지 않은 것 같다. 스스로가 느끼기에 그렇다. 나의 시선에서 바라보는 마음의 눈이 굳어짐에 따라 다름을 유연하게 받아들이는 것 또한 쉽지 않다. 그런 점에서 글을 쓴다는 것은 생각 속에서 자유롭게 여행하는 것이자, 나를 다시 돌아볼 수 있는 시간이었다.

어떠한 주제도 없이 떠오르는 느낌, 감정들로 쓴 글들인지라 책 제목에 대한 고민이 깊었다. 나름의 유사점이라고 할 수 있는 것은 조금 더 나은 사람이 되기 위한 성장통 과정에서 겪은 감정들이라는 것. 나를 포함한 각자의 힘든 시기를 보내고 있을 이들에게 미약하지만 위로를 전하고 싶은 마음을 담아 '너와 나, 봄을 맞이하기 전'이라는 제목을 붙이게 되었다.

책 제목을 정하고 나니 표지가 문제였다. 자기출판이기도 했고 이제 글을 쓰기 시작한 병아리 작가였기에 근사한 표지를 신기에는... 부끄러웠다.

어설프지만 여러 번의 작업 끝에 탄생한 표지. 노란색은 풍요로움, 생기, 활력, 자신감을 불러오는 색이기도 하지만 이성적이면서 불안감도 느낄 수 있는 중의적인 색이다. 나의 책을 마주하는 이들이 전자의 긍정적인 기운을 받기를 바라는 마음과, 글 속의 불안한 내 모습을 동시에 드러낼 수 있는 색이라 여겨진다. 더불어 세로로 쓴 책 제목에서 '나'와 '봄'을 나란히 둔 것은 스스로가 어떤 생각을 많이 했었는지, 나를 바라볼 수 있는 글들이라는 뜻이 담겨 있기도 하다.

대상을 두루 생각하는 일, 나는 '사유'하는 사람이 되고 싶고 그 과정에서 소소하지만 계속해서 글을 써볼 생각이다. 마지막 페이지까지 부족한 나의 글을 읽고 있을 누군가에게 감사의 마음을 전하며, 어떤 계절이 오더라도 우리 모두의 마음 날씨만큼은 덜 힘들 수 있기를, 행복의 시간이 늘어날 수 있기를 소망하며 첫 번째 책의 여정은 이쯤에서 마무리 해보려 한다.

시작이 시작이라고, 끝이 끝이라고 말하지 않은 것처럼 시작과 끝을 알 수 없는 경계에서 우도희 드림.